这本奇迹童书属于

图书在版编目（CIP）数据

出埃及记/（英）派普尔著；（英）柯尔克绘；周林译.
—北京：旅游教育出版社，2010.8　（我的第一套圣经故事书）
ISBN 978-7-5637-2029-3

Ⅰ.①出… Ⅱ.①派… ②柯… ③周… Ⅲ.①圣经－故事 Ⅳ.①B971

中国版本图书馆CIP数据核字（2010）第152576号

北京市版权局著作权合同登记图字：01-2010-4119

丛书总策划/黄利　监制/万夏

编辑策划/设计制作/奇迹童书 www.qijibooks.com

责任编辑/何玲　特约编辑/胡金环 师素珍

出埃及记

[英]苏菲·派普尔/著
[英]埃斯泰拉·柯尔克/绘　周林/译

出版发行	旅游教育出版社	社　址	北京市朝阳区定福庄南里1号
印　刷	北京市兆成印刷有限责任公司	经　销	各地新华书店
开　本	720毫米×1000毫米　1/20	印　张	19.2
版　次	2010年9月第1版　2010年9月第1次印刷		
书　号	ISBN 978-7-5637-2029-3		
定　价	96.00元（全十二册）		

我的第一套圣经故事书 ❸

出埃及记

[英] 苏菲·派普尔／著

[英] 埃斯泰拉·柯尔克／绘

周林／译

旅游教育出版社

米里亚姆微笑着看着她那刚出生的小弟弟。

　　"他多特别啊，是不是，妈妈？"她问道。

　　"是很特别。"妈妈回答说，"我们俩一定要好好照顾他。"

可问题是，米里亚姆和她的家人是以色列人。很久以前，以色列人被邀请到埃及生活。现在，在埃及的以色列人多起来，埃及人开始害怕了。

埃及人让以色列人做他们的奴隶。

埃及法老还制定了一条法令，但凡以色列人的男婴都要丢到河里。士兵们经常来搜查。

米里亚姆的妈妈用芦苇编了一个篮子，在篮子外面涂上了防水的树脂油。她把婴儿放进篮子里，来到河边。

她决定把篮子里的宝宝藏在
芦苇丛里。
　　米里亚姆藏在附近照看着。

碰巧，法老的女儿来到这条河里
洗澡，她的侍女们也站在岸边服侍。

突然，公主发现了那个篮子。

"把篮子给我取来，"公主对侍
女说，"我要看看里面有什么。"

　　公主打开盖子，看到了里面的小男孩。

　　"可怜的小东西！他在哭呢！"她说，"他是一个以色列小孩。一定是有人想要保护这孩子。我要抚养这个孩子长大。"

米里亚姆这时走上前来。她勇敢地大声说："如果您允许，请让我为您找一位以色列妇女帮您照顾这个孩子。"

　　"那好吧。"公主答应了她的请求。

米里亚姆跑回家。

"妈妈！"她大声喊道，"快点儿！快点儿！埃及公主发现了咱们的小宝宝。她决定抚养他。她需要人帮着照顾他。"

母女俩急忙跑去见公主。

公主把那男孩放到他母亲怀里。

"请为我照看他，"公主说，"我会酬谢你的。等这个男孩长大的时候，他将回到王宫里生活。"

"他的名字——"孩子的母亲问。

"哦，是啊，我该叫他什么好呢？"公主说，"我知道了，给他取名叫摩西吧。"

摩西慢慢长大并成为了一位王子。他一直与埃及人生活在一起。

　　他富有而强大。

　　但是，摩西知道自己其实是一个以色列人。

　　他对以色列人民的遭遇非常同情，而这也使他身处困境，他不得不逃走。

　　摩西来到遥远的沙漠中，成为了
一个牧羊人。一天，他看到了一个奇
怪的景象：一丛灌木燃烧着，但奇怪
的是，火却不能把它烧毁。

　　那火正是神在向摩西显灵。神对
摩西说：

　　"我要你去拯救你的人民。告诉
埃及法老放了那些以色列人，给他们
自由。"

　　摩西回去找自己的兄弟亚伦，请他帮忙。他们决定一起去见埃及法老。

　　"如果您不放走以色列人，神将会给您的王国带来各种灾难。"他们恳求法老。

　　"那不可能，"法老说，"不，不行，绝对不行！"

果然，各种灾难在埃及泛滥开来——青蛙遍地、蝗虫肆虐。可法老还是执意不放人。

灾害越来越严重，法老不得不改变主意，答应放了以色列人。摩西带着他的人民赶紧离开埃及，离开这个残暴的法老。

突然，法老又改变了主意。"快给我追！"他向军队下令。

"让你们的战车有多快跑多快，把他们给我追回来。"

以色列人也发现了他们身后追来的埃及军队。

但一片汪洋大海挡住了他们的去路。

摩西拿起手杖，指向大海，海水分开了，神为他们开辟了一条路。

　　以色列人平安到达了海的另一
边，米里亚姆高兴地跳起舞，敲起
了手中的铃鼓。

　　"神救了我们。"她高唱着，
所有以色列人都跟她一起唱起来。